Dagmaëlle

Les Compagnons des Hautes-Collines

De la même auteure

Jeunesse

SÉRIE SOLO

Solo chez madame Broussaille, coll. Mini-Bilbo, Québec Amérique
        Jeunesse, 2001.
Solo chez monsieur Copeau, coll. Mini-Bilbo, Québec Amérique
        Jeunesse, 2002.
Solo chez madame Deux-Temps, coll. Mini-Bilbo, Québec Amérique
        Jeunesse, 2003.
Solo chez monsieur Thanatos, coll. Mini-Bilbo, Québec Amérique
        Jeunesse, 2004.
Solo chez grand-maman Pompon, coll. Mini-Bilbo, Québec Amérique
        Jeunesse, 2005.
Solo chez Pépé Potiron, coll. Mini-Bilbo, Québec Amérique Jeunesse, 2006.

SÉRIE ABEL ET LÉO

Bout de comète!, coll. Bilbo, Québec Amérique Jeunesse, 2000.
Léo Coup-de-vent!, coll. Bilbo, Québec Amérique Jeunesse, 2001.
Sur la piste de l'étoile, coll. Bilbo, Québec Amérique Jeunesse, 2002.
Un Tigron en mission, coll. Bilbo, Québec Amérique Jeunesse, 2003.
Le Trésor de la cité des sables, coll. Bilbo, Québec Amérique Jeunesse, 2004.
Le Monstre de la forteresse, coll. Bilbo, Québec Amérique Jeunesse, 2005.

Un chameau pour maman, coll. Libellule, Héritage Jeunesse, 1991.
La Grande Catastrophe, coll. Libellule, Héritage Jeunesse, 1992.
Un voilier dans le cimetière, coll. Boréal Junior, Éditions du Boréal, 1993.
Zéro les bécots!, coll. Libellule, Héritage Jeunesse, 1994.
Zéro les ados!, coll. Libellule, Héritage Jeunesse, 1995.
Un micro S.V.P.!, coll. Carrousel, Héritage Jeunesse, 1996.
Zéro mon Zorro!, coll. Libellule, Héritage Jeunesse, 1996.
Le Magasin à surprises, coll. Carrousel, Héritage Jeunesse, 1996.
À pas de souris, coll. Carrousel, Héritage Jeunesse, 1997.
La Lune des revenants, coll. Libellule, Dominique et compagnie, 1997.
Le Secret de Sylvio, coll. Carrousel, Dominique et compagnie,1998.
La Proie des ombres, coll. Libellule, Dominique et compagnie, 1998.
Zéro mon grelot!, coll. Libellule, Dominique et compagnie, 1999.
Le Tournoi des petits rois, coll. Carrousel, Dominique et compagnie, 1999.

Dagmaëlle

Les Compagnons des Hautes-Collines

LUCIE BERGERON

ILLUSTRATIONS: STÉPHANE POULIN

QUÉBEC AMÉRIQUE Jeunesse

Catalogage avant publication de Bibliothèque et Archives Canada

Bergeron, Lucie
Les Compagnons des Hautes-Collines
(Dagmaëlle ; 1)
(Bilbo ; 158)
ISBN-13: 978-2-7644-0513-0
ISBN-10: 2-7644-0513-8
I. Titre. II. Collection: Bergeron, Lucie. Dagmaëlle ; 1. III. Collection:
Bilbo jeunesse; 158.
PS8553.E678C65 2006   jC843'.54   C2006-941050-X
PS9553.E678C65 2006

 Conseil des Arts **Canada Council**
du Canada   for the Arts

Nous reconnaissons l'aide financière du gouvernement du Canada
par l'entremise du Programme d'aide au développement de l'industrie
de l'édition (PADIÉ) pour nos activités d'édition.

Gouvernement du Québec – Programme de crédit d'impôt pour
l'édition de livres – Gestion SODEC.

Les Éditions Québec Amérique bénéficient du programme de subvention
globale du Conseil des Arts du Canada. Elles tiennent également à
remercier la SODEC pour son appui financier.

Québec Amérique
329, rue de la Commune Ouest, 3e étage
Montréal (Québec) H2Y 2E1
Téléphone: 514 499-3000, télécopieur: 514 499-3010

Dépôt légal: 3e trimestre 2006
Bibliothèque nationale du Québec
Bibliothèque nationale du Canada

Révision linguistique: Céline Bouchard et Liliane Michaud
Mise en pages: Andréa Joseph [PageXpress]

Imprimé au Canada

À mon fils Gabriel
et à sa douce Rimma.
À leur amour.

Моему сыну Габриэлю
и его милой Римме.
Их любви.

Chapitre un

Assise au bord de l'eau, je tiens une pierre dans ma main. Elle est ovale, grise, douce comme la joue de mon petit frère. Je crois que ma pierre est magique. Je la frotte avec mon pouce. Elle se réchauffe. Je la serre dans ma main. Si c'était un œuf, il craquerait. Si c'était une fraise, j'aurais la main tachée de rouge. Si c'était réellement la joue de mon petit frère que je caressais, cela voudrait dire qu'il est encore vivant.

La mer jette à mes pieds des poignées de varech. Puis elle se retire, emportant coquillages et cailloux.

Elle est si forte, si possessive et si… peut-être… que… Peut-être bien que la mer a emporté Tom-Tom ! Une grande vague est venue le chercher pendant qu'il jouait dans le sable. Trois sirènes lui ont tendu la main et mon petit frère les a suivies. J'aurais dû le prévenir, être près de lui pour le retenir. Mais je n'étais pas là…

Je porte ma pierre à ma bouche. Elle a un léger goût salé. Je la soupèse. Elle est plus lourde qu'un œuf de cane. Je la trouve jolie, et lisse, tel du verre poli. Je l'ai tout de suite repérée en m'assoyant. Elle est unique, comme l'était mon Tomas. Mon frérot aux yeux de faon… À cinq ans, il courait encore gauchement, comme les petits des cerfs. Les faons ont cette même hésitation quand ils gambadent dans la forêt, entre les troncs serrés. Je rigolais quand Tomas se précipitait vers m… Et si… et si c'était plutôt la forêt qui l'avait avalé. Oui ! Pourquoi pas ? Mon petit frère ramassait des baies. Sans bruit, les branches du grand chêne se sont pliées jusqu'à terre. Elles lui ont enserré la taille et l'ont fait grimper jusqu'au ciel. Des fées aux ailes de cygne sont venues le cueillir. Tom-Tom n'a pas crié, pas une seule fois. Sinon, j'aurais accouru.

Je fais rouler ma pierre sur ma cuisse. Le sable est frais. Le bruit des vagues emplit mes oreilles. La mer, le ciel… Les sirènes, les fées… Je soupire. Ma tête est vide. J'ai beau chercher, je ne comprends pas pourquoi je l'ai perdu.

Je me lève, puis j'emprunte l'étroit sentier qui grimpe dans la falaise. Ma pierre dans la main gauche, je compte mes pas. Si je

13

compte cent pas jusqu'en haut, le soleil va réapparaître. Quatre-vingt-dix-huit, quatre-vingt-dix-neuf, cent… Je ferme les yeux. La brise du large fait claquer mes tresses blondes sur mon visage. Je frotte ma pierre. Le soleil… le soleil… J'ouvre les yeux. Le ciel gris acier n'a pas changé. Peut-être aurait-il fallu que je compte cent vingt pas… Je regarde la mer. Entourée par des montagnes sombres, la mer s'engouffre dans la baie et oublie de se faire douce. Les vagues se brisent sur la grève. Pas étonnant que les sirènes s'y plaisent. Elles y jouent comme dans un manège.

Je ramasse mon seau de bois. Je l'avais laissé choir avant de descendre vers la rive. Je dois me dépêcher. Tante Vielle m'attend sûrement.

Depuis quelques jours, le seau me paraît plus lourd. Il pèse de plus en plus depuis que Tomas n'est plus là. Avant, mon petit frère venait chercher l'eau avec moi. Il posait sa main de lutin près de la mienne. Son visage devenait tout rouge, tellement il forçait pour soulever le seau. Je lui laissais croire qu'il était un géant et qu'il transportait à lui seul la mer entière, mais c'était moi qui travaillais le plus fort. À dix ans, je suis la plus grande.

Arrivée à la pompe, je me laisse tomber de tout mon poids sur le bras de métal. Le bras descend, puis remonte. Je pousse vers le bas, encore et encore. Enfin l'eau jaillit, éclaboussant mes pieds. Je patauge dans la boue. Sur les Hautes-Collines, la terre mouillée sent les vieux champignons. Les jours d'orage, elle se crevasse, se fendille en des dizaines de… Et si… et si c'était la terre, qui avait avalé Tom-Tom… Mais oui ! Elle s'est ouverte sous ses pieds tandis qu'il jouait avec sa toupie. Les créatures du monde d'en bas l'ont attiré par leurs chansons. Mon petit frère est entré sous la terre pour écouter les mélodies joyeuses. Tomas, mon lutin… Il n'a jamais pu résister aux airs de fête. Sinon, il m'aurait appelée. Oui, assurément, Tom-Tom est là-bas. Il danse dans des grottes secrètes, mais d'ici on ne l'entend pas.

Quand il sera fatigué, est-ce qu'il me reviendra ?

Je finis de remplir mon seau et, les dents serrées, je l'agrippe. Sans Tomas, le trajet jusqu'à la maison me semble interminable. Quand nous étions ensemble, ma foulée était si souple que j'avais l'impression de marcher sur un tapis de

mousse. J'étais si légère qu'aucune empreinte ne restait.

La porte grise grince quand je l'ouvre. Tante Vielle est assise devant le feu, ses mains blanches posées sur ses cuisses. Les flammes jouent sur ses traits. Elle paraît encore plus vieille qu'elle ne l'est. On dirait qu'elle est l'ancêtre, la mère de toutes les muettes. Pourtant, elle n'a jamais eu d'enfant. Je pose le seau près d'elle. Je caresse ma pierre ovale dans ma poche. Elle va parler. Oui, elle va ouvrir la bouche, dire un mot, un « fichu temps » ou même un « bon » suffirait. Tante Vielle tourne la tête vers moi. Ses lèvres s'entrouvrent. Ma pierre est magique ! Je le savais, Tantoche va parler ! Elle va… Une odeur d'écureuil mort s'échappe de sa bouche. Elle referme les lèvres, attrape le seau et le vide d'un trait dans le chaudron noir.

Je me réfugie sur ma paillasse. Hier, j'ai changé la paille de mon lit. Ma couchette sent bon, elle embaume l'épervière et le mélilot. Recroquevillée, je serre ma couverture contre moi. Elle a gardé un peu du parfum de mon frérot aux yeux de faon.

Tante Vielle jette une bûche dans l'âtre. Des étincelles éclatent. Je ferme les yeux. Des images se bousculent dans ma tête. Je vois Tom-Tom qui pleure. Papa ! Maman ! De la fumée… partout. Je tousse. Le feu sur les murs ! Vite, je prends le petit dans mes bras. Je cours. Dehors. J'appelle, je crie. Pour rien. Mon lutin… je n'ai sauvé que lui.

Depuis trois ans, je veillais sur Tomas. Il me manque.

Chapitre deux

Tantoche fixe la vapeur qui commence à s'échapper du chaudron sur le feu. Tantoche, le surnom que Tomas donnait à la Vielle. Il disait que notre tante n'avait rien dans la caboche. Il croyait dur comme fer qu'un vent de tempête avait balayé les mots de sa tête. Ouste! Allez voir ailleurs, avait soufflé l'ouragan. À la sortie, ses mots n'avaient pas su où aller. Alors, ils s'étaient accrochés aux murs avec leurs pattes de grenouille. Et la nuit, on les entendait se répondre et s'appeler.

Moi, je disais à Tomas que tous ces sons étranges pouvaient s'expliquer. Les gémissements, les craquements… C'était le vent du large qui secouait la maison. Tout simplement! Lui n'en croyait rien. Sérieux, il écoutait les mots perdus de notre tante et il ne s'endormait qu'à l'aube, quand les paroles brûlent sous les premiers rayons du soleil. Depuis que mon Tomas n'est plus là, ce sont ses mots d'enfant que j'entends, et ils ne me font pas rire.

Tante Vielle traîne les pieds jusqu'à la porte. Elle y dépose le seau. C'est le signal. Je dois encore sortir chercher de l'eau. Je déteste y aller quand le soleil est couché. Je noue mon fichu sous mon menton. Mes tresses se sentent à l'étroit sous l'étoffe rude, mais je veux empêcher le vent de siffler dans mes oreilles. Ses chansons m'ensorcellent et me font dévier de ma route.

La nuit tombe vite, dans les collines. Les vagues déchaînées fracassent la falaise. Le vent souffle en bourrasques. Il se démène, se roule en boule et crache des gouttes d'eau.

Je lutte pour avancer. Pour me donner du courage, je pense à mon gentil lutin. Quand nous sortions ensemble, à la brunante, Tomas me demandait de fixer une ficelle à son bras, puis de l'attacher au mien. Il était persuadé qu'ainsi les chiribiris de la nuit ne l'attaqueraient pas. Maintenant, la ficelle pend à mon bras, orpheline. Les chiribiris n'auraient qu'à l'effleurer pour que je me rende. Je ne me défendrais pas.

Autour de moi, tout est en mouvement. Les arbres, les herbes s'agitent, se froissent. La pompe rouge est seule à ne pas broncher.

Toujours bien droite, prête à faire son travail. Quand je l'actionne et qu'elle grince, je me dis que c'est la Terre qui pleure. Elle pleure de perdre son eau précieuse et de ne garder en échange que des cailloux et des roches creuses.

Une fois encore, aujourd'hui, je m'appuie de tout mon poids sur le bras de la pompe. Je recommence tandis que le vent fait glisser mon fichu sur mes épaules. Il me siffle aux oreilles. Vite, je me bouche la droite avec ma main. Trop tard… Le vent entonne déjà l'hymne des chiribiris.

Sauve qui peut,
p'tits morveux.
V'là les chiribiris !
Rien ne va
s'ils sont là
Vous êtes à leur merci !

Ah, ah, ah !
Pic, poc, pouille.
On vous carabistouille !

Vite ! Encore plus vite ! Je pompe l'eau de toutes mes forces. Il faut couvrir la voix du vent, étouffer la rumeur. Le seau déborde. Je patauge dans l'eau. Il fait froid. Ma jupe est trempée. Je la tords tout en reprenant mon souffle.

— Pas de chance, marmonne une voix.

AH ! Qui parle ? D'une main tremblante, je cherche ma pierre magique dans ma poche. Elle, elle saura me protéger. Je relève la tête. Mon sang se fige dans mes veines. Devant moi, un loup gris me fixe.

L'animal bâille, découvrant ses crocs pointus. Je recule d'un pas.

— Où penses-tu aller ? demande le loup.

Je me mets à trembler. Mes dents claquent.

— Ha, ha ! Content de voir que je provoque toujours le même effet. Pauvre et insignifiante créatu…

Je murmure :

— Je n'ai pas peur, j'ai froid.

— QUOI ? Tu oses me répondre ? GRRRRR ! Tu vas le regretter, moucherolle !

Les babines retroussées, le loup s'avance.

Je ne bouge pas. Je n'essaierai pas de lui échapper. Si le loup pouvait m'emporter, je disparaîtrais comme Tomas. Et peut-être qu'alors je pourrais le retrouver.

Je ferme les yeux et je serre ma pierre ovale dans ma main. Au loup, j'offre mon autre main, paume ouverte, comme on l'offre à un chien.

Chapitre trois

J'attends. Le supplice est dans l'attente. Tomas, lui, a-t-il attendu longtemps avant de rejoindre les fées ? J'entrouvre un œil, puis l'autre. Des traces de pattes dans la boue… Elles s'arrêtent à mes pieds. Le loup est parti. Pourquoi ? Je soupire. La sueur coule le long de mon dos transi.

Le silence, sur la colline, me rappelle tante Vielle. Ma journée n'est pas encore terminée, car Tantoche n'a pas fini ses lessives. Au village, on la paie pour son travail. Elle ne manque jamais d'ouvrage, puisque les riches ont toujours besoin de

linge propre. Et tante Vielle a toujours besoin d'eau.

J'empoigne mon seau et je
retourne vers le seul point lumineux
des alentours. La Vielle a allumé la
bougie. Quand il fait noir, elle pense
trop. Sa bouche se crispe. Elle n'est
pas belle à voir.

Je peine sous l'effort. Comment
se fait-il que le seau soit si lourd !
Une coulée d'eau me tombe sur la
cheville. Je jette un coup d'œil. Une
patte grise est appuyée sur le bord
du seau ! Sautillant sur ses pattes de
derrière, un lièvre s'agrippe au réci-
pient.

— Enfin, tu ralentis ! s'exclame
l'animal. J'ai une soif de caribou,
moi. Tu m'en donnes un peu ?

Surprise, je dépose le seau par
terre. Le lièvre bondit pour se hisser
sur le bord. Il plonge son museau
dans l'eau fraîche et boit à grandes

lampées. Le seau se vide à une vitesse fulgurante. L'animal se penche de plus en plus… Ooooh ! Il culbute et tombe dans un grand PLOUF ! au fond du seau.

Le lièvre bat des pattes, il veut sortir. Je l'empoigne par la peau du cou.

— Hup ! Hup ! Huuuu ! fait-il en cherchant son souffle. GLOUPP !

Je le mets dans l'herbe, de peur de l'étouffer. Il secoue ses longues oreilles qui claquent dans le vent.

— Dagmaëlle, réchauffe-moi un peu ! Je vais attraper un rhume de pékan.

Je dénoue mon fichu bleu. Les genoux sur la terre humide, je frotte la fourrure de l'assoiffé avec l'étoffe rude.

— Dagmaëlle, Dagmaëlle, Dagmaëlle ! répète le lièvre avec impatience. Va plus doucement.

Je ralentis. Sous les premiers rayons de lune, je distingue des teintes de brun et de fauve dans le poil gris que j'ébouriffe.

—Holà, attention! Tu froisses mes moustaches. Et, crois-moi, les moustaches de Maître Jules sont les plus belles à la ronde.

D'un bond, Maître Jules se dégage, puis s'installe au creux de mon bras, sous un pan de mon gilet.

—J'ai connu mieux, grommelle-t-il, mais ça fera l'affaire.

Assise sur le sol, je sens le froid transpercer mes os. De la terre et des brindilles collent à ma jupe mouillée. L'animal empeste le foin moisi. Je prends ma pierre dans ma poche. Si je la frotte vingt fois, peut-être que ce sans-gêne se transformera en civet pour le souper…

Je persiste jusqu'à trente-cinq, mais ma pierre reste insensible à mon vœu.

— Waaargh ! bâille Maître Jules. J'ai bien dormi.

Je m'étonne :

— Vous avez eu le temps de faire la sieste ?

— Pauvre chou, je vais t'expliquer. Tu es encore jeune, ce n'est pas ta faute. Le temps, c'est comme de la tire. On peut l'étirer un peu, beaucoup… ou pas du tout.

Je fronce les sourcils. La tire… Tom-Tom raffolait de ces bouchées que l'on trouve au marché.

Maître Jules ajoute :

— J'ai un petit creux. Va donc me chercher une carotte.

Exaspérée, je me relève brusquement. Le lièvre atterrit sur le sol.

— Grand Maître ou pas, je ne suis pas votre servante !

J'agrippe l'anse du seau et je pars à grandes enjambées.

— Je suis trempée, j'ai froid et, à cause de vous, mon seau est à moitié vide. Il faut que je retourne à la pompe. Et le loup…

— Parlons-en, de ce paillasson aux dents jaunes !

Maître Jules sautille pour me rattraper. J'accélère le pas.

— Dagmaëlle, je t'admire. Tu lui as montré de quel bois tu te chauffes. Ce gros escogriffe a eu toute une leçon. Personne encore ne lui avait parl…

Le lièvre s'interrompt pour reprendre d'une voix embarrassée :

— Tu m'attends une minute ? J'ai bu, j'ai bu, mais là, il y a urgence.

Pendant qu'il se dirige vers l'orée du bois, il enchaîne :

— Quel beau coup, ma Dagmaëlle ! Vlan, dans les dents, le

loup ! Déboulonné, le roi de la forêt ! À la niche, p'tit caniche, à mes pieds, empot...

Le bavard s'interrompt de nouveau. J'entends quelques craquements dans le sous-bois.

— Maître Jules... ?

Je n'ai pas envie d'aller le chercher, moi.

— Vous venez ou pas ?

Une forme sombre sort des taillis. Elle s'approche d'un pas souple. C'est le loup ! Et dans sa gueule, il tient Maître Jules par les oreilles. La bête puissante laisse tomber sa proie sur le sol caillouteux.

— Aoutch ! fait le lièvre.

— Alors, on se moque de moi dans mon dos, gronde le loup.

Maître Jules ne bouge pas d'un poil. Il ressemble à ces bibelots de faïence qui garnissent la vitrine de la belle boutique du village.

— Comment m'as-tu appelé ? s'enquiert le loup de sa voix profonde. Allez, répète donc. Tu disais... paillasson aux... aux...

— dents jaunes...

— PARDON ?

— Euh... dents blanches ?

— Tu t'améliores. Et que disais-tu... voyons... à la niche... ?

— Belle barbiche ?

D'un air mauvais, le loup se penche au-dessus de sa victime.

— Tu progresses, Julot. Je me rappelle aussi de...

— Bon, ça suffit, les menaces ! lancé-je. Vous avez eu votre chance, tout à l'heure. J'ai attendu, vous êtes parti. Maintenant, laissez-nous tranquilles !

Le lièvre pirouette.

— Hé, hé ! Elle t'a remise à ta place, hein ? Va jouer ailleurs, du vent, gros escogr...

— GRRRRRRRR !

Effrayé, Maître Jules saute se cacher dans le seau. PLOUF ! Une longue plainte fait résonner les parois de bois.

— Wouaaaaa ! Je suis encore tout mouillé.

Avant que j'aie pu tenter quoi que ce soit, le loup se jette sur le lièvre. Il le sort par les oreilles et le secoue à grands coups de tête. Puis il libère Maître Jules, qui atterrit sur les fesses.

— Service express de nettoyage, ricane le loup.

Un peu étourdi, le lièvre tout ébouriffé bredouille :

— Mer-merci, Capitaine, mais, sans vouloir t'offenser, je préfère la façon de Dagmaëlle.

Je profite du compliment pour essuyer le bout de son museau avec mon fichu. Après tous ces plongeons, il mérite bien un peu d'attention.

— Cessez de vous dandiner, Maître. J'ai failli vous crever un œil.

— Je n'en peux plus, je n'en peux plus, il faut que j'y aille !

Le lièvre s'éloigne à la hâte.

— Vous ne bougez pas, hein ? Ce ne sera pas long. Juste une petite urgence.

Je toise le loup du regard. L'animal détourne les yeux, mal à l'aise. Je lui demande :

— Pourquoi m'avoir épargnée ?

— Rien de sorcier, moucherolle. Tu es trop maigre. Je n'ai pas de temps à perdre avec un cure-dents.

— Ne l'écoute pas, Dagmaëlle, crie Maître Jules de la lisière du bois. On ne peut pas se fier à lui.

Le loup dresse les oreilles. Le lièvre revient en gambadant.

— Moi aussi, je suis svelte et…

— Et tu serais parfait en amuse-gueule.

Tout sourire, le carnassier se lèche les babines.

— Non, non, tu te trompes, je parais plus gros que je le suis réellement, proteste la petite bête. Je bois, je bois, je bois, et je gonfle, gonfle, gonfle. Toujours ce satané problème de vessie. Mon père aussi, je ne l'ai pas connu longtemps, mais…

— Ouf! Vous en avez de la parlotte. J'ai un seau à remplir, moi, et ce n'est pas vous qui allez me le transporter.

Déterminée, je me dirige vers la pompe.

— Capitaine, lui, il serait capable. Avec sa grande gueule, il pourrait…

— ... te découper en morceaux !
Attends que je t'attrape, Julot !

— Au secours ! hurle Maître
Jules.

Je m'arrête, inquiète.

— Chut ! Entendez-vous ? Les
chiribiris... Ils arrivent !

Chapitre quatre

Une explosion de rires ébranle la colline. Les larmes aux yeux, Maître Jules et Capitaine se roulent par terre en gloussant comme des dindes.

— Dagmaëlle, la fillette qui croit à des sornettes !

— Dagmaëlle, le bébé qui croit aux contes de fées !

Ha, ha, ha ! Ho, ho, ho ! Hi, hi, hi ! Les deux comparses n'en finissent plus de se tordre de rire.

Les bras croisés, je fulmine. Ils se prennent pour qui, ces deux-là ! J'ai bien envie de leur verser mon seau sur la tête.

— Moquez-vous si ça vous chante, mais je vous le jure, il y avait des bruits étranges dans les bois.

— Des bruits ? Je n'ai rien entendu.

— Moi non plus, sauf mon estomac qui gargouille, répond le loup en fixant le lièvre avec appétit.

— Évidemment, que vous n'entendez rien ! Vous passez votre temps à vous chamailler. La nuit, les chiribiris font la loi. Tomas disait…

— Les chiribiris, ce sont des histoires de bonne femme, tranche Capitaine. A-t-on idée d'inventer une chanson pareille ?

D'une voix de sauterelle, les deux animaux entonnent :

Sauve qui peut,
p'tits morveux.
V'là les chiribiris !

Rien ne va
s'ils sont là
Vous êtes à leur merci !
Ah, ah, ah !
Gratte, grotte, grouille.

— Non ! Pic, poc, pouille, reprend Maître Jules en rigolant. Pic, poc pouille… vous êtes de grosses andouilles.

— Je préfère… on vous pen-douille !

— Ou… attrape la tambouille.

— On vous débarbouille ?

— Face de gargouille !

— Passe la ratatouille !

— Hi, hi ! attends-attends, la meilleure… pouffe Maître Jules. Patte, potte, pouille, le loup est une grosse nouille.

— QUOI ? GRRRRRRRRR ! Viens ici que je t'écrabouille !

— Dagmaëëëëëëëëlle !

Et le lièvre saute dans mes bras.

— Si ce ne sont que des sornettes, pourquoi connaissez-vous si
bien leur chant ?

À l'unisson, les deux rigolos
regardent ailleurs. Capitaine se met
à lécher sa patte droite, tandis que
Maître Jules renifle avec attention
le creux de mon bras.

— Alors ? Pourquoi ?

Pressée de savoir, je tire sur les
longues oreilles du Maître.

— Hééé ! Ce n'est pas attaché
avec de la broche, c'est fragile !

— J'attends une réponse.

— Une réponse ? À quel sujet,
déjà ? demande le lièvre d'un air
innocent.

— À ma question.

— Ta question ? Mais la vie est
remplie de questions.

Maître Jules saute dans l'herbe.

— D'où viens-je, où vais-je ? Quand je rêve, est-ce réel ? Ou est-ce la réalité qui est un rêve ? Quand j'avance, est-ce moi qui bouge…

Le lièvre s'enfonce dans la noirceur.

— … ou la route qui défile sous mes pieds ? Et la poule… oui, la poule, était-elle là avant l'œuf ou l'œuf est-il arrivé le premier ? Quand je me couche, je mets ma tête sous mes pattes ou mes pattes sur ma tête ?

J'ai beau écarquiller les yeux, je n'arrive plus à voir Maître Jules. Il a disparu dans les buissons. Je crie :

— Eh ! Ma réponse, je l'at…

— PARDON ? réplique-t-on tout près. Euh… Je te comprends mal. Tu es trop loin, Dagmaëlle. Désolé.

Roulé en boule, Capitaine sommeille, ses crocs appuyés sur sa lèvre inférieure. Il fait semblant, je le sens. Je pousse un long soupir. Personne ne veut jamais répondre à mes questions. Dans ma tête, il y a une girouette. Et elle vire, vire encore, étourdie par ce que je ne sais pas. Tomas, lui, en savait encore moins, mais il s'inventait des réponses. Il y croyait. Moi aussi, un tout petit peu. Avant, j'acceptais de marcher dans le noir, car Tom-Tom était ma réponse. Du moins, ma réponse à la question la plus importante, celle qui demande : pourquoi vivre ?

Chapitre cinq

– **O**uouh ! Ça soulage, mes amis, s'exclame Maître Jules en sortant du bois.

— Moi, ton ami ? Tu rêves !

— Même pas un peu copain ?

— D'accord… un peu, admet Capitaine. Juste assez copain pour te bouffer l'œil gauche et te laisser le droit.

— Dagmaëlle ! L'entends-tu ? Il veut m'éborgner !

Je lève les yeux au ciel. Que d'enfantillages ! Ces bêtes n'ont donc rien à faire. Courageuse, je reprends mon seau. Il est sûrement tard. Tante Vielle doit dormir, car elle a éteint la bougie. Ses mots courent déjà sur les murs. Pourvu qu'ils ne me tombent pas sur la tête quand j'entrerai.

La pleine lune crée des illusions. Tomas disait que, ces nuits-là, il pouvait savoir à quoi il ressemblerait quand il serait un homme. La lune ronde projetait cette image du futur devant lui. Tom-Tom se voyait fort, de haute taille, capable de porter huit seaux à la fois et avec moi en plus sous son bras. Je lui expliquais que c'était seulement son ombre, agrandie par la lumière, qu'il distinguait sur le sol, mais Tomas ne voulait rien entendre. Il tenait à son idée. Pourtant, il n'a même pas eu le temps de grandir un peu plus.

Bien sûr, la lune ronde bouleverse le décor. Dans l'ombre, les oreilles de Maître Jules s'allongent tels des manches de râteau et les crocs de Capitaine frottent sur les cailloux. La reine de la nuit se marie au prince du vent pour transformer les lieux connus. Tout est amplifié, y compris les sons qui habitent la colline. J'entends distinctement la pompe travailler, même si elle est encore loin… Mais… comment peut-elle fonctionner toute seule ? Mes compagnons aussi sont intrigués. Capitaine fait claquer sa langue à l'idée de découvrir là-bas une nouvelle proie.

Le paysage baigne dans une lumière dorée. Au détour du sentier, je reste bouche bée. Un étang est apparu sur la colline ! Au beau milieu de la mare, douze crapauds jouent à la balançoire sur le bras de la pompe. Un jet puissant sort du robinet. En m'apercevant, la bande de musclés ralentit la cadence.

Quelques gouttes tombent. PLOC !
PLIC ! Plic-ploc…

— Bonsoir, la puce ! lance une
voix chaude.

— GRRRRRR ! Qui a l'audace
de m'insulter ?

— Qui te dit que c'est pour toi ?
réplique Maître Jules. Moi aussi,
j'ai des puces. Tu ramènes toujours
tout à ta petite personne. Tu n'as
pas le privilège des insultes. Partage
ton air, pépère !

— Coucou, ma puce sur deux
pattes.

— Tu vois ? Ça ne te concerne
même pas. Bon, tu vas me dire que
tu peux te dresser sur tes deux p…

— Qui… parle ? dis-je d'une
voix mal assurée.

Je plonge ma main dans ma
poche. Ma pierre est froide.

— Par ici, ma petite, dans le
rayon de lune.

Un nuage se dissipe. La reine de la nuit éclaire l'étang. L'eau scintille comme des millions d'écailles. Un petit bras s'agite. Près de la pompe, une tortue fait la planche.

—Tu as le bonsoir de Galère, ma puce.

Avec élégance, la tortue nage vers la rive. Arrivée à mes pieds, elle se met à battre des pattes à toute vitesse. Son corps roule de gauche à droite. Elle étire le cou le plus possible. Elle tangue, puis s'arrête en maugréant:

—J'ai pris du poids, ou quoi? Nager sur le dos est un plaisir, mais quand il s'agit de me remettre sur pattes… quelle galère!

Le loup approche une patte griffue de la carapace tendre.

—Attention, coquille de noix! crie le lièvre. Il en veut à ta maison!

D'un geste habile, Capitaine fait basculer Galère sur le ventre. Sans réfléchir, je passe une main sur sa tête.

— Bon chien…

Le loup se dégage brusquement. GRRRRR ! Il frotte son front avec dégoût sur une souche. Hé ! Je l'ai caressé ! J'ai envie de sourire. Quand je vais raconter ça à Tomas, il va… Il ne va rien dire. Il ne pourra même pas l'entendre. Je n'ai plus personne avec qui partager mes secrets.

La tortue pose une patte sur mon pied. D'une voix chaleureuse, elle me confie :

— Je t'attendais.

— Et nous, et nous ? s'écrie le lièvre. On compte pour du beurre ? On n'est pas transparents, espèce de coquille vide !

Offusquée, la tortue lâche un juron :

—Concombre de mer ! Quel fieffé impertinent ! Ce sauteur sans cervelle mériterait une correction.

—Toujours prêt, affirme le loup, narquois.

Vif, Maître Jules se faufile derrière moi.

—Si vous voulez m'attraper, il faudra lui passer sur le corps... hein... Dagmaëlle ? supplie-t-il de son air le plus pitoyable.

—Qu'importe ! Vous êtes tous invités, assure Galère, radoucie. Le royaume des abysses vous accueille... Mais encore faut-il que vous n'ayez pas peur de vous mouiller.

—Me mouiller ? Ah ! ça, non ! J'y ai déjà goûté ! D'ailleurs, toute cette eau me donne... Excusez-moi, c'est pressant.

Le cœur battant, je demande :
—Pourquoi vous suivrais-je ?

— N'est-ce pas toi qui rêvais devant la mer, ma puce ?

Je fais oui de la tête.

— N'est-ce pas toi qui portes un chagrin plus lourd que toute la neige du ciel ?

J'acquiesce encore.

— N'est-ce pas toi, aussi, qui pensais… qui croyais que Tomas avait été emporté par les flots ?

Au bord des larmes, j'esquisse un petit signe de tête.

— Voici donc ta chance de vérifier.

Mes bras pressés sur ma poitrine, je sens mon cœur s'affoler. J'hésite. Dois-je suivre Galère ou refuser son offre ? Lui faire confiance ou… Ah ! J'en ai assez de tourner en rond ! Trop, c'est trop ! Je ne veux plus me poser de questions. Tout est si bizarre, de toute façon. Il y a tant d'inconnu. Quand Tomas était là, on essayait de comprendre en-semble… mais il n'est plus là. Je dois avancer seule. Et tout tenter.

Laissant mon seau sur la berge, j'entre dans l'eau fraîche de l'étang.

Chapitre six

Ma jupe gonfle autour de moi. J'ai de l'eau jusqu'à la taille. Sous mes pieds, je sens de petits cailloux ronds.

Maître Jules m'interpelle :

— Dagmaëlle, tu vas tomber malade. Une grippe de corbeau, ça ne pardonne pas.

Je regarde vers la berge. Le lièvre sautille de long en large dans l'herbe.

— Dans l'eau, on ne voit rien, rien de rien. Crois-moi, Dagmaëlle, c'est plus noir que la gueule d'un ours. Et il y a plein de sangsues… et aussi des anguilles, et même des requins ou… As-tu pensé aux pieuvres, Dagmaëlle ? Les pieuvres à vingt-cinq bras !

—Julot, le couard ! raille Capitaine en arrivant à ma hauteur. Froussard !

Sans que je m'en rende compte, le loup s'est glissé dans l'étang. Sans bruit, sans éclaboussures. D'un coup de patte expert, il nage avec aisance.

—Peureux, moi ? Non, non, non. Ma maman me disait que j'étais son plus brave. Je suis simplement prudent. Si Dagmaëlle tombe malade, qui va la soigner, hein ? Sûrement pas toi, Capitaine sans bateau ! Tu lui grignoterais les doigts au lieu de les lui réchauffer. Je crois, en toute honnêteté, et uniquement pour son bien, que Dagmaëlle devrait revenir sur la terre ferme.

Ignorant ces conseils, je continue d'avancer, guidée par la tortue.

— Vous n'êtes pas un peu fous ?
crie Maître Jules. Dagmaëlle, tu me
connais, écoute-moi. Tu ne vas pas
suivre cette grosse noix ! Elle nage
peut-être bien, mais tu devrais la
voir marcher. Pire qu'un escargot !
Une larve avec une bûche sur le
dos !

Un bouillonnement juste devant
me fait sursauter. Exaspérée, Galère
souffle si fort que sa colère éclate
dans l'eau en dizaines de plic-flop-
ploc. Elle crache :

— Que les chiribiris m'en-
tendent ! Emportez cet effronté
et enfermez-le à double tour,
concombre de mer !

De l'eau jusqu'au menton, je
demande, étonnée :

— Vous connaissez les chiribiris ?

Capitaine intervient avant même que notre guide ait le temps de répondre.

— Elle est bien bonne, celle-là. Tout un sens de l'humour, cette Galère ! Pas vrai, Julot ?

— Euh… oui, ha ! ha ! très drôle, madame La Tortue.

Je reviens à la charge :

— Parlez-moi des chirib…

Un grand PLOUF ! vient m'interrompre. Dans un saut prodigieux, Maître Jules a bondi dans l'étang. Il remonte à la surface, les yeux ronds comme des boutons. Le loup l'attrape par une oreille pour le maintenir à flot. Le lièvre régurgite un peu d'eau.

— Blp-bloup… Tu peux me lâcher, bloup !

Maître Jules pose une patte sur mon épaule.

—Je n'en démords pas. L'eau, c'est trop mouillé pour moi.

Nullement impressionnée par les acrobaties du lièvre, Galère déclare :

—Bon, une bonne chose de faite ! Nous voilà donc tous réunis. Prêts pour le grand plongeon ?

—Quoi ? Il faut que je me mouille encore la tête ? Mes oreilles bourdonnent, mes yeux pleurent, mes moustaches pendent et…

—Et tu as encore une envie pressante ? suggère Capitaine.

—Non, ça, je viens de le faire.

D'un même mouvement, nous nous reculons. Ce Maître Jules, il est incorrigible ! Pire qu'un bébé.

—Dégoûtant ! Tu aurais pu prendre tes précautions avant de sauter.

—Je me suis échappé, désolé… Je te l'ai dit, Capitaine, c'est courant dans ma famille. Mon père, que je n'ai pas beaucoup connu…

Je l'interromps.

—Cette histoire, Juju, on la connaît déjà. Allons au royaume des abysses, ne perdons plus de temps.

—Alors, ma puce, pose ta main sur ma carapace, propose Galère avec bienveillance.

Me prenant de vitesse, le lièvre abat une patte grise sur le dos de la tortue.

—Doucement, malotru ! J'ai failli me renverser. Il y a de la place pour tout le monde, concombre de mer !

Je mets ma main sur la carapace au moment où le loup y dépose une patte. Ses griffes sont impression-nantes. Dans la forêt, on a sûre-ment peur de lui.

—Juju ! Elle t'a appelé Juju, se moque Capitaine. Mon beau petit Juju en sucre.

—Ah ! Tais-toi, gros lard ! Ou plutôt… bon chien ?

—GRRRR !

—Tout doux, bon chien-chien !

—Je vais te faire sauter la truffe !

—Dagmaëëëëëëlle !

Et c'est en entendant leurs cha-mailleries que je plonge sous l'eau. Les yeux fermés, je retiens mon souffle. Je garde ma main sur Galère, puis, instinctivement, je me mets à battre des pieds pour avancer. Est-ce que Tomas y a pensé ? A-t-il pris une grande respiration avant d'être emporté par les flots ? A-t-il pincé son nez pour garder son air plus longtemps ? J'ouvre les yeux. Les moustaches en l'air, Capitaine et Maître Jules retiennent aussi leur souffle. Leurs joues sont si rondes

qu'on dirait deux écureuils aux bajoues pleines de noisettes. Je commence à m'inquiéter. Combien de temps allons-nous tenir ? Mes poumons ont envie d'éclater. Tom-Tom a dû avoir très peur quand il a senti cette pression à l'intérieur de lui.

— Ma puce, dégonfle tes joues, me dit Galère tout bonnement. Tu ressembles à un poisson des bas-fonds.

Sans réfléchir, je réponds :

— Qu… BL-BLEURK !

Une énorme gorgée d'eau s'engouffre dans ma bouche. Aussitôt, une forte chaleur m'envahit. La tortue me tapote la joue en hochant la tête.

— Je sais, la première gorgée surprend. Elle est un peu trop salée, mais bon, rien n'est jamais parfait dans ce bas monde, et encore moins sous l'eau.

—On nage dans le bloup… bouillon, ou je rêve ? s'exclame Maître Jules. Je me sens, tout bloup… brûlant… bloup-bloup !

Je vérifie si ma pierre ovale se trouve toujours dans ma poche. Elle est glacée, contrairement à moi.

Capitaine s'enquiert à son tour :

—Ne serais-tu pas un peu magicienne ? J'ai plus chaud qu'à midi en juillet.

—Ne craignez rien, nous rassure Galère. Le royaume des abysses crée de drôles d'effets sur certains.

—Oh ! ça… bloup ! ça explique tous… bloup ! tous ces bloup-bloup que je dis.

—Non, pas vraiment. C'est plutôt pour te faire regretter tes impertinences, petit lièvre mal élevé.

—Dagma… bloup… ëëëlle ! On me veut du mal bloup !

Maître Jules vient se réfugier sous mon bras. Je lui caresse la nuque. Il marmotte :

— Cette vieille noix a de la... bloup... hachée entre les deux bloup-bloup oreilles.

— Comme je te l'expliquais sur la rive, reprend Galère posément, le royaume des abysses t'attend. Il faut aller tout droit, vers le fond. Maintenant que tu nages tel un poisson des tropiques, je te laisse.

— Me laisser ? Mais...

— Suis les coraux jaunes !

Et la tortue disparaît en m'envoyant la patte.

Chapitre sept

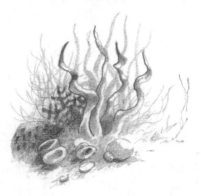

Ma pierre dans les mains, je reste muette. Si je la serre très fort, peut-être ramènera-t-elle Galère parmi nous ?

—Je le savais ! Je vous l'avais dit qu'il ne fallait pas lui faire confiance.

—Au moins, ta voix est redevenue normale, constate Capitaine. Si on peut qualifier de normal ce bourdonnement de moustique qui sort de ta bouche.

Trop content, le lièvre fait fi de la moquerie.

—Hé ! C'est vrai. Plus de bloup ! J'ai-re-trou-vé-ma-voix ! Ma

belle voix, la plus belle de la forêt,
lalalalère, chantonne Maître Jules,
excité. Écoute, Dagmaëlle! Haaaaa,
hiiiiii, hooooo… Ma-me-mi-mo-
mu, ta-te-ti-to-tu. Ma voix! Ma
sérénissime voix! Hip, hip, hour-
raaaaa… hip!

— Alors, on descend? s'enquiert le loup.

Je ne sais pas quoi répondre. Je
suis si désemparée. Si Tomas était
là, je lui demanderais son avis. Certains pourraient dire qu'on ne
demande pas conseil aux plus
jeunes. Moi, je crois que les petits
ont parfois de meilleures idées que
les grands. En tout cas, Tom-Tom,
lui, trouvait toujours une solution.
Il essayait, du moins. Il essayait très
fort, plissant son front jusqu'à ressembler à une pomme fanée. Il
posait son petit poing dans ma main
et il disait : « Serre, Dagmaëlle.

Serre fort, et la solution va sortir. »
Je n'osais pas. J'écrasais son poing
avec autant de force qu'on en utilise
pour protéger une rose de la pluie.
Sans rien froisser.

— Bon, Dagmaëlle, là, il faut
que tu… hip! te décides, presse
Maître Jules. J'en ai ras le pompon
de rester en sus… hip!… pension
dans cette eau salée. HIP!

— As-tu avalé une moule de
travers?

— Non, Cap… hip!… taine.
J'ai le hoquet, pauvre crétin!

Furieux, le loup donne un coup
de patte vers Maître Jules. En sou-
plesse, le lièvre se dégage de sous
mon bras pour aller se cacher derrière mon épaule. L'offensé grogne
si fort qu'une longue colonne de
bulles remonte vers la surface.

Si Tom-Tom était avec moi, il
me soufflerait à l'oreille: «Quand

on a parcouru autant de chemin, c'est plus long de retourner que d'avancer. »

Sans plus hésiter, je pique une tête vers le fond. Mes deux compagnons me suivent d'un air buté. Il n'y a pas encore assez d'eau qui a coulé sur leur dispute.

Jusqu'ici, l'étang ressemblait à une grande cuve remplie d'une eau brouillée par la lessive. Je suis presque surprise quand je croise trois petits poissons bariolés de rouge.

— Salut, la compagnie ! disent-ils en chœur.

J'en profite pour leur demander mon chemin.

— Bonjour, messieurs, dites-moi donc où se trouve le royaume des abysses.

Ils se consultent avant de me répondre à l'unisson :

—Connaissez-vous le mot magique ?

—La tortue ne m'en a pas parlé.

—Hein ? Qu'est-ce que je te disais ! lance Maître Jules. Rien qu'une coquille vide, cette Galère. Que du vent entre ses deux moignons d'oreilles ! Dagmaëlle, je t'avais prévenue ! A-t-on idée de se fier à une charmeuse qui traîne sa maison sur son dos ? Elle nous expédie dans la soupe sans nous donner le mot de passe !

—Si tu fermais un peu ton clapet, riposte Capitaine, on arriverait peut-être à le trouver.

Les nageoires frétillantes, les poissons viennent se placer juste devant le bout de mon nez. Je réfléchis, mais la magie, je ne connais pas, moi. Tomas en inventait tout plein, des formules. Il les déclamait à haute voix au sortir du lit. Malgré

ses efforts, jamais tante Vielle n'ouvrait la bouche pour nous parler.

– Pas de mot magique, pas de royaume des abysses! clament les trois rougeauds.

Capitaine soupire.

– Au moins, donnez-nous une piste…

– … s'il vous plaîaîaîaîaît, supplie le lièvre.

– Tu l'as dit!

– J'ai dit quoi?

– Le mot magique! confirme le trio.

– Mais… je n'ai rien dit de spécial.

– Pour une fois que tu t'en rends compte, rétorque le loup, moqueur.

Je coupe court à la discussion:

– Si Maître Jules a trouvé, il est notre sauveur. Bravo!

– Moi? Un sauveur? Je le savais, je suis le meilleur! Ça t'en bouche un coin, hein Capitaine ? Je suis plus fort que toi, gna-gna-gna. Le lièvre est plus fort que le gros méchant loup !

Je frotte ma pierre ovale avec énergie. Peut-être qu'un jour elle arrivera à museler quelques instants ce bavard de Maître Jules.

— Alors, quelle est la bonne direction ? demandé-je aux poissons.

D'un seul mouvement, le trio me tourne le dos.

— Trop tard, petite. On nous attend au rocher des écrevisses.

— Comment, trop tard ? Nous avons trouvé le mot magique. Vous devez…

— Jamais d'ordres avec nous, s'écrient-ils. Salut, la compagnie !

D'un coup de nageoire, les trois petits poissons nous abandonnent.

— Tous pareils, ces barboteux !

Ils se croient maîtres chez eux.

— Ils le sont, Julot, maugrée le loup. Tu trouves naturel, toi, qu'on se parle au fond d'un étang.

Le lièvre hoche la tête.

— Pour une fois, Cap, je suis d'accord avec toi. La tortue nous a ensorcelés, c'est sûr…

Les yeux de Maître Jules s'agrandissent.

— Et… et si le sort disparaissait… On… on MOURRAIT ! AAAAAAhhhhhhh ! Je veux sortir !

Dans un méli-mélo de pattes, le lièvre nage à toute vitesse vers la surface. Je fonce et le rattrape par les oreilles.

— Laisse-moi ! Je dois remonter. Mes cinquante enfants m'attendent !

— Du calme, Maître Jules. La tortue me protège, elle me l'a dit.

Allons donc très vite au royaume et revenons-en encore plus vite.

— Ta Galère, elle ne m'aime pas. Elle peut me couper l'air n'importe quand !

— Je vous jure qu'elle ne touchera pas à une seule de vos moustaches. Et tout le monde sait que ce sont les plus belles à la ronde, non ?

Flatté, Maître Jules se laisse convaincre. Il redescend avec moi retrouver Capitaine.

— Juju a eu une petite crise de panique ?

— Pfff ! Tes sarcasmes ne m'atteignent pas. Dagmaëlle, notre gentille Dagmaëlle, m'a dit que j'étais le plus beau. Plus beau que toi ! Alors…

— Alors, dépêchez-vous de me suivre, tous les deux !

Capitaine s'exécute aussitôt, mais le lièvre y met un peu moins de cœur. Plus on descend, plus il traîne de l'arrière. Je pense que Maître Jules n'est pas encore tout à fait rassuré.

Après avoir nagé un bon moment, j'aperçois finalement un récif de coraux jaunes. Hourra! Galère m'avait donné ce repère. Pourquoi ai-je cru que les poissons bariolés en sauraient plus que moi? Tom-Tom me faisait tellement confiance que, souvent, il me demandait de lui bander les yeux avec mon fichu. Puis il se promenait à mon bras et il était convaincu que je le préviendrais de tous les dangers.

J'aurais dû être là, quand il lui est arrivé malheur.

— Dagmaëlle, Dagmaëlle, murmure Maître Jules derrière moi.

Je le savais bien qu'il nous rattraperait! Ce grand bavard cherche tout le temps quelqu'un avec qui parler. Je lui dis :

— On n'est pas encore arrivés, on continue.

— Dagmaëlle, ralentis.

— Julot, cesse de nous embêter.

Le lièvre insiste.

— J'ai un petit problème à une patte.

— Sers-toi des trois autres ! siffle le loup.

— Je crois vraiment que vous devriez regarder.

Je me retourne. D'un signe discret, le lièvre me montre sa patte arrière. Je suis sidérée. C'est alors que l'étang s'assombrit d'un seul coup. Au-dessus de nous, une ombre immense cache la lumière que reflète encore la lune.

Pris au piège, Maître Jules lance un effroyable cri de détresse.

Chapitre huit

La main crispée sur la fourrure de Capitaine, je sens mon cœur s'emballer tel un cheval fou.

— Au secours ! gémit le lièvre. Aidez-moi !

L'eau s'embrouille, le monstre s'approche. J'empoigne ma pierre. Puisse-t-elle le transformer en une inoffensive sardine ! Un remous dans l'eau, puis une énorme tête apparaît. C'est un gigantesque poulpe ! Une bête immonde couverte de verrues ! Son œil globuleux me fixe. Une bonne douzaine de tentacules s'agitent dans un ballet d'horreur, et un de ces bras interminables retient Maître Jules prisonnier. Le tentacule verdâtre s'est enroulé autour de la patte du pauvre lièvre.

Je frissonne. Est-ce dans ces bras répugnants garnis de ventouses visqueuses que mon petit frère est entré au royaume des abysses ?

Capitaine grogne. Les oreilles dressées, il retrousse les babines, plus menaçant que jamais. Les ten-tacules nous encerclent peu à peu. Je me prépare à l'attaque. Le loup va bondir. Sur le point de lancer ma pierre, j'entends :

— À quoi on joue ?

Surprise, je retiens mon geste.

— On fait la ronde ? suggère gaiement le poulpe. Allez, dites oui, dites oui !

Affolé, Maître Jules secoue la tête avec véhémence.

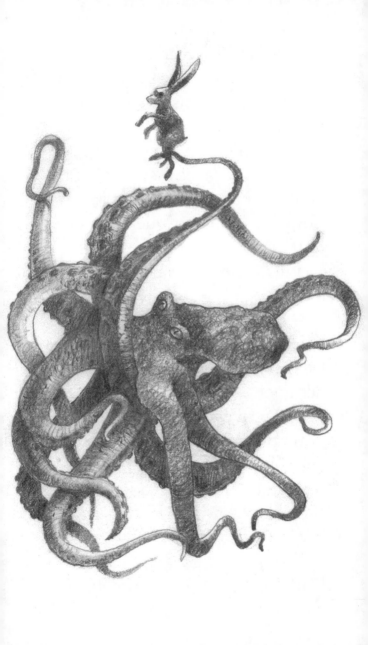

— On joue à cache-cache, alors ?

Capitaine et moi échangeons un regard. Avons-nous bien entendu ?

— Je m'ennuiiiiie… Personne ne veut jouer avec moi, se plaint le poulpe, boudeur. Ce n'est pas juste. Lui, il m'avait dit que vous étiez toujours prêts à vous amuser.

Lui ? Je ne vois personne d'autre, à part…

— Qui ça, lui ? susurre le loup.

Aussitôt, les onze tentacules se tournent vers Maître Jules pour le désigner.

— Ce n'est pas ma faute, non, non ! Si je ne disais rien, il me gardait avec lui.

La queue droite comme une épée, le loup avance lentement vers le coupable.

— Croyez-moi, les copains ! L'affreux m'a capturé et menacé.

— Pourquoi dis-tu cela ? Ça…
ça me rend… tout triste, bégaie
le poulpe, des sanglots dans la
voix. C'est toi qui as voulu jouer à
« on-leur-fait-une-grosse-peur ».
Et ce n'est même pas drôle, bon.

— Ainsi, tu as manigancé un
mauvais tour ? gronde Capitaine en
fixant le lièvre droit dans les yeux.

— Un petit tour de rien, tout petit,
tout petit.

— Tu as voulu nous donner une
bonne frousse ?

— Oui ! Euh… non, pas du
tout ! J'étais sûr qu'avec ton incom-
parable courage, tu n'aurais même
pas un léger frisson, ô grand sérénissime Capitaine des forêts.

— Sais-tu que tu mérites une
bonne correction ?

— Oui… euh, non !
Capitaine bondit.

—Maniiiiii ! Ôte-moi de LÀÀÀÀÀÀÀÀÀ !

Mais au lieu de l'éloigner du loup vengeur, le poulpe dénoue simplement son tentacule. Maître Jules se retrouve libre comme l'air, juste devant les crocs affamés de son prédateur.

—Et si on jouait aux devinettes ?

Ma voix s'est élevée, très posée.

—Oh oui ! Bravo ! applaudit Mani de ses douze tentacules. J'adore les devinettes. C'est moi qui commence !

Soulagé, Maître Jules me décoche un clin d'œil. Oh là là ! J'espère que le loup ne l'a pas vu. Très susceptible, il pourrait croire que j'ai comploté avec ce coquin de lièvre.

—Vous n'êtes pas attentifs, je le vois bien, rouspète Mani. Allez, concentrez-vous sur moi !

Je fais un véritable effort pour regarder le poulpe hideux.

— Voilà ! Qu'est-ce qui est rond, blanc et qui reste enfermé quand c'est sous l'eau ?

Une réponse me vient à l'esprit. Cette devinette est trop facile !

— Vous ne le savez pas, hein ? s'enthousiasme Mani, fier de lui.

Trop content, le poulpe se dandine sur ses tentacules.

— Admettez que vous ne le savez pas ! Je suis le roi des devi...

— Une perle.

En entendant ma réponse, le poulpe en laisse tomber ses douze bras. Grognon, il bougonne :

— Cette devinette, elle la connaissait déjà, j'en suis certain. Ce n'est pas du jeu, bon !

Je m'empresse de continuer.

— À mon tour, maintenant. Qu'est-ce qui est grand, profond et qui a pour porte d'entrée une allée de coraux jaunes ?

Pendant que Mani se concentre, je fais signe à mes compagnons de garder le silence. Vaut mieux ne pas contrarier cette bête étrange. Le poulpe se gratte la tête avec un de ses tentacules, puis un autre, et encore un autre, jusqu'au douzième. Il soupire sous l'effort, puis soudain, il s'exclame :

— J'ai trouvé ! Le royaume des abysses !

Nous attrapant chacun par la taille, le poulpe, plus heureux qu'un marchand de bonbons, ajoute :

— Là-bas, on peut jouer à cache-cache, à saute-poisson, au souque à l'algue. Accrochez-vous bien, nous aurons juste le temps avant que les sirènes aillent se coucher.

Dans un grand bouillonnement, Mani file comme une étoile vers les abysses.

Chapitre neuf

Plus on descend, plus la lumière change. Au cœur du royaume des abysses, elle devient jaune paille, plus douce qu'une aube d'avril. Les coraux se sont multipliés jusqu'à ressembler à un champ de pissen-lits. Ils tapissent le fond rocheux et s'épanouissent en bouquets tout autour de nous. Certains d'entre eux se dressent aussi haut que des pins parasols ou de solides peu-pliers. Entre leurs branches, des milliers de poissons zigzaguent.

—Chic alors ! s'écrie Mani. Nous arrivons pour le départ.

— On part ? réplique Maître Jules, rempli d'espoir. On remonte ?

— Oh non, pas avant la course à relais ! Les rayés bleus, là-bas, ce sont les meilleurs. Vous allez voir !

— Moi, je ne fais pas confiance à un type qui a besoin de douze pattes pour se gratter la tête, marmonne le lièvre. Je mise sur les verts !

Capitaine ne souffle mot. La gueule frémissante, le loup fixe les poissons charnus. Je crois qu'il commence à avoir faim.

Le poulpe glisse un tentacule sous nos fesses pour nous servir de siège. Nous nous asseyons, prêts pour le spectacle. Le départ de la course est donné. Une explosion de couleurs éclabousse le jaune des coraux. Les poissons se sont lancés à fond de train dans l'épreuve.

Tom-Tom et moi, nous courions souvent dans les collines. « Le dernier arrivé est celui qui s'y colle ! », criait-il avec son sourire de pomme croquante. On partait ! Dernier arrivé, premier à rentrer le bois. Dernier arrivé, premier à récurer le plancher. Dernier arrivé, toujours moi… Je n'allais tout de même pas laisser mon petit frère avec les plus rudes corvées. Les gentils lutins comme lui ne méritent pas d'avoir la vie dure.

Mes compagnons ne quittent pas la course des yeux. Pourtant, ailleurs, il y a tant à voir. Discrètement, je m'éloigne du groupe. Je nage vers une trouée dans les coraux. Attachées aux branches, des balançoires de varech oscillent. Des hippocampes s'y bercent. Plus bas, une morue à barbe tricote des algues, assise sur un coquillage. Un requin-marteau soulève un rocher sur son nez pour épater cinq poissons portant lanterne. En face, des crabes contorsionnistes forment une pyramide, tandis que deux étoiles de mer font des culbutes sur un fil. Je m'émerveille. On se croirait dans une fête foraine. Caressant ma pierre ovale, je souhaite que le charme de la tortue Galère s'éternise. Une colonie de crevettes, queue en l'air, glissent sur une longue coulée de nacre. Quel plaisir elles ont ! Les moustaches tombantes, un vieux poisson-chat distribue des gâteries aux saumoneaux.

— Plancton, vers gras, mouches vertes ! À qui la chance ? clame l'ancêtre.

Je ne bronche pas. Je n'ai aucune envie d'essayer, quoique… Chez tante Vielle, les repas ne sont guère mieux. Du ragoût, du ragoût, et encore du ragoût. Tom-Tom disait que sa cuisine ressemblait à du vomi de porc. Au fond, du plancton, c'est peut-être meilleur…

—Choisis plutôt cette algue, me suggère le poisson-chat en s'arrêtant devant moi. Elle te rendra plus forte.

Trop étonnée pour refuser, je prends la longue feuille brune ondulée. On dirait que le vieux a lu dans mes pensées. Pendant que je grignote ma collation, je regarde tout autour de moi. Que de monde, par ici ! Tantoche, elle, fuit les gens. Même quand nous sommes ensemble, ma tante fuit. Elle se barricade dans son silence. Tomas aimait raconter que tante Vielle était comme une princesse captive de sa tour. Sauf que notre princesse à nous était moche, nulle en cuisine et qu'elle avait jeté de son plein gré la clef de son cachot dans l'étang des crocodiles. Et j'ajoutais que même les crocos ne voulaient rien savoir de son ragoût… Alors, on rigolait.

Je m'approche de la glissoire de nacre. Rouges de plaisir, les crevettes crient leur joie de filer à toute allure. Je les envie. J'aimerais bien m'amuser, moi aussi. Immédiatement, une cinquantaine d'entre elles m'entourent et me pressent de les suivre. Je n'hésite pas. Je m'assois au sommet de la glissoire et, poussée par des crevettes en maillot, je m'abandonne. Je gliiiiiisse jusqu'en bas, légère comme une plume de tourterelle. Je me relève promptement dans l'espoir de vite recommencer.

En nageant vers le sommet, j'aperçois en surplomb un immense rocher. Peut-on sauter de là-haut pour avoir un meilleur élan ? Je bats des pieds plus fort, déterminée à m'y rendre. Les crevettes tentent de me retenir, elles me crient de revenir. Pas question ! Je veux être la première à essayer ce nouveau tour.

J'atteins le rocher sans trop de peine, mais je suis stoppée dans ma course. Je ne suis pas seule. Allongées sur la pierre, trois sirènes jouent aux cartes.

— Cœur en force, déclare la première.

— Pique de travers, réplique la deuxième.

— Carreau d'épave, ajoute la dernière.

Dans un soupir, les joueuses lancent leurs cartes sur la pierre. Elles ne me jettent même pas un regard et attaquent une nouvelle partie. Je me ressaisis. Un peu plus et j'oubliais la raison de ma plongée vers le royaume des abysses.

C'est si distrayant de s'amuser : plus rien d'autre ne compte. J'en étais presque venue à effacer de ma mémoire l'ailleurs d'où je viens.

D'une voix mal assurée, je demande :

— Pardon, mesdames… est-ce que…

— Hmmm ? répond la sirène en bigoudis.

Je reprends avec détermination :

— Auriez-vous vu mon frère Tom…

— Non, on ne connaît pas de Tomas. Pas vrai, Oursine ?

— Tomas ? Tomas-Tomas-Tomas ? répète sa voisine aux bras incrustés de coquillages. Connais pas, non ! Donne-moi une carte, Écumine.

— Vous en êtes sûres ? Il jouait sur la grève.

La troisième sirène s'impatiente. Sa queue de poisson argentée frétille.

— Puisqu'on te dit qu'on ne l'a jamais vu, ton Tomas !

— Calme-toi, Houline.

J'insiste.

— Vous voyez tellement de gens passer, peut-être que…

— Assez !

L'enragée donne un coup de queue sur la pierre.

— Réfléchissez enc…

— Suffit ! Il n'a même pas été fichu de nous apprendre un nouveau jeu !

— Et il ne voulait jamais jouer !

— Dagmaëlle, Dagmaëlle, qu'il braillait tout le temps.

C'est alors que les trois sirènes se rendent compte de ce qu'elles viennent de dire. Elles se regardent, embarrassées. Puis elles haussent les épaules et, nonchalantes, elles retournent à leurs cartes.

J'éclate :

— Je veux la vérité ! Où est-il ?

Je mets les deux pieds sur la queue d'Écumine, bien décidée à ne pas bouger. La sirène bâille.

— Tu me fais rire ! Toi, toute seule, contre nous trois. Ha… ha… h…

— Qui dit qu'elle est toute seule ! clame une voix forte dans mon dos.

En deux temps, trois mouvements, Capitaine pose ses quatre pattes sur la nageoire de Houline et Maître Jules sur celle d'Oursine. Le sourire radieux, Mani se poste au-dessus de nous, ses tentacules déployés, et il décrète :

— La première qui bouge a une tapette ! C'est un beau jeu, non ?

Chapitre dix

D'un œil qu'il veut méchant, Mani fixe nos prisonnières. Le poulpe aime bien jouer au gendarme et au voleur. Il balance lentement ses tentacules au-dessus de leurs têtes vert mousse. Les poings sur les hanches, je dévisage à mon tour les trois sirènes. Elles n'ont plus l'air si fier, maintenant que nous les tenons par la queue. D'une voix claire, je demande :

— Où est Tomas ? Dites-moi la vérité !

Au lieu de me répondre, Oursine s'en prend à sa voisine.

— Vieille bique ! Pourquoi as-tu parlé ?

— Bique toi-même ! rétorque Houline. Toi aussi, tu as parlé.

— C'est vrai ! renchérit Écumine.

— HÉ ! HO ! C'est moi qui pose les questions.

— Grosse plie ! Tu l'as fait en premier !

— T'en as rajouté !

— Tête de lotte !

— OÙ EST-IL ?

— Crapaude !

— Morue dessalée !

D'un coup de bassin, Oursine se débarrasse de Maître Jules et, du même élan, elle se tourne vers Houline pour lui balancer un coup de queue en plein visage. Surpris, nous reculons. Houline, furieuse, arrache un coquillage sur le bras d'Oursine, qui se met à hurler.

Écumine lui saute dessus et la bâillonne en lui enfonçant un bigoudi dans la bouche. Oursine, déchaînée, attrape ses adversaires par le cou. Elle leur frotte le nez sur un oursin géant. Pleine de piquants, Houline sort de ses gonds et la force à avaler un colimaçon gros comme mon poing. J'en reste bouche bée. Même Capitaine n'a jamais vu une telle bagarre. Seul dans son coin, Mani termine une patience avec les cartes des sirènes.

Soudain, la lumière change. Dans tout le royaume, elle vire du jaune au pourpre. Les sirènes relèvent leurs têtes ébouriffées. J'en profite pour lancer :

— Répondez-moi ! Où est Tomas ?

Les nageoires fripées, Houline fait un vague geste de la main, comme si mon petit frère n'était

qu'un vermisseau sans importance.
Désespérée, je demande encore :

— Où le cachez-vous ?

Les sirènes m'ignorent. Elles
bâillent, s'allongent, puis pouf! elles
s'endorment.

— Sauve qui peut ! s'écrie Mani.
Les sirènes sont couchées !

Aussitôt, des cris de panique
fusent d'un peu partout. Du rocher,
je me penche vers la glissoire et je
vois crabes, crevettes, morue et
poisson-chat ramasser en vitesse
leur matériel et disparaître dans le
fond vaseux. Les oreilles molles,
Maître Jules s'agrippe à la pierre en
marmonnant :

— Ils ont vu un chiribiri, ou
quoi ?

— Tais-toi, imbécile !

Capitaine fusille le lièvre du
regard. Les chiribiris ! Peuvent-ils
vraiment venir jusqu'ici ? Je caresse

ma pierre ovale. Que son pouvoir magique rayonne et les tienne à distance encore quelque temps...

Le royaume des abysses devient subitement très silencieux. Plus une seule nageoire ne bouge.

—Mani ? Qu'est-ce qui se passe ?

Un murmure dans mon dos me fait me retourner. Ses douze tentacules sur la tête, le poulpe s'est recroquevillé dans une crevasse du rocher.

—Vous jouez à cache-cache ?

Entre les bras emmêlés du poulpe, je vois s'ouvrir un œil apeuré.

—Partez vite ! chuchote Mani. Maintenant, il ne faut plus rester dehors.

—Alors on va où ? riposte Maître Jules.

— Sais pas ! Chacun pour soi, les copains.

Et le poulpe ferme son œil globuleux. J'en ai assez ! J'attrape mes tresses et je les noue sur le dessus de ma tête d'un geste volontaire. J'en ai plus qu'assez de tous ces muets qui ne veulent pas répondre à mes questions. Excédée, je me précipite vers Mani et, saisissant un de ses tentacules, je l'apostrophe :

— Hé ! Espèce de mille-pattes d'eau salée ! J'ai joué avec toi. Aide-moi à retrouver mon frère !

L'œil orangé s'ouvre de nouveau. Il est si chargé de haine que je recule d'un pas. Vif, le tentacule m'agrippe et me serre le poignet. D'une voix caverneuse venue d'outre-tombe, la bête crache :

— Ton frère l'a bien cherché. Il a rejoint les déchets. Au fond des fonds…

Le poulpe relâche ma main, puis, comme aspiré vers le cœur du rocher, il s'y enfonce dans un nuage d'encre.

Chapitre onze

Je frictionne mon poignet endo-
lori. J'ai beau frotter, la marque
du tentacule ne semble pas vouloir
s'effacer. On dirait qu'on a tatoué
un bracelet noir sur mon bras.

— On ne reste pas ici, hein,
Dagmaëlle ?

— Non, Maître Jules, c'est certain.

— Enfin, tu fais preuve de bon
sens ! Un beau mâle comme moi
perd du tonus à tremper dans cette
bouillabaisse.

Je précise :

— Nous partons d'ici… mais
pour aller vers les bas-fonds.

— QUOI ?

— Le poulpe l'a dit. C'est là que se trouve Tomas.

— Le poulpe ! Tu ne vas tout de même pas le croire ? s'exclame le lièvre. Il est ramolli du bonnet, celui-là. L'as-tu entendu ? Cette gelée de poisson se prend pour un ogre !

Les inquiétudes de Maître Jules ne réussissent pas à me faire changer d'idée. Remplie d'espoir, je quitte le rocher. Mon protecteur ne lâche pas prise et crie :

— Capitaine ! Viens à mon secours, raisonne-la !

Je regarde derrière moi. Le loup me suit. Je ralentis pour déclarer :

— Je n'oblige personne à m'accompagner. Vous pouvez tous les deux remonter vers la surface, si vous voulez.

— Dagmaëlle, comprends-moi, se lamente le lièvre. J'ai des obligations là-haut. Mes soixante enfants m'attendent.

— Tu n'en avais pas cinquante ?

— Oui, oui, mais ça change tout le temps, répond-il au loup en le rejoignant. La famille s'agrandit ! Je suis un papa très en demande. Les filles m'adorent, que veux-tu ! J'ai hérité du charme de mon père, que je n'ai pas beaucoup...

Absorbé par ses confidences, Maître Jules se met à nager aux côtés de Capitaine.

— Oui, c'est vrai, je ne l'ai pas connu longtemps, mais bon... mon père, lui, il avait du succès. Dans le comté, il connaissait les plus jolies hases. Et moi, je suis le meilleur ! Ça prend une sacrée mémoire pour se rappeler de tous ses marmots. Quoique... sans me vanter, pour moi, c'est facile, j'ai un don. Écoute un peu : il y a Feuilleau, Feuillut, Feuillette, Feuillou, Feuilline…

— Pas de souci, Dagmaëlle, lance Capitaine. Julot nous accompagne.

— Pardon ? D'abord, tu m'interromps quand je te parle de ma famille, ensuite, tu décides à ma place. Depuis quand parles-tu pour moi ? Tu n'es pas de ma race. Tu n'as même pas de descendance !

— À ta guise, avorton ! Tu peux partir. Va, mais nage vite, parce que sinon… les gros méchants te rattraperont encore plus vite.

— Un gros méchant ! s'écrie Maître Jules, effrayé. Où ? Où ?

— Du calme, la mémère en jupon. Il ne s'est encore rien passé.

Je souffle :

— Eh bien, ça ne devrait pas tarder.

Par touffes, les coraux jaunes s'éteignent un à un, tandis que d'immenses ombres se mettent à zigzaguer entre les arbres obscurs.

— Dépêchez-vous ! nous presse Capitaine. Allons nous mettre à l'abri !

Le loup prend la tête. Je nage le plus vite que je peux. Le lièvre s'essouffle. Je l'attrape par les oreilles et je continue à nager avec un seul bras. Nous trouvons refuge derrière un récif. Le cœur battant, je jette un coup d'œil vers la forêt de coraux. Des bêtes immondes en surgissent. De longs poissons tels des serpents en chasse ondulent dans l'eau sombre. Gueule ouverte, ils se faufilent partout, cherchant leurs proies. La tête coincée sous mon bras, Maître Jules n'ose pas regarder. Je prends ma pierre dans ma poche. Si les bêtes s'approchent, je

l'utiliserai pour les assommer. Au moins me servira-t-elle à quelque chose.

Capitaine me fait signe de me cacher, mais il est déjà trop tard. Les poissons-serpents m'ont vue. Ils foncent sur nous comme une volée de flèches.

Nous piquons encore plus vers le fond. Mes pieds battent à toute vitesse. Je nage à m'en décrocher les épaules, traînant Maître Jules agrippé aux pans de ma jupe. Les poissons-serpents se rapprochent. Ils sont si nombreux qu'ils créent des remous. Je reçois des cailloux dans le visage. Ma lèvre se fend et une goutte de sang se répand dans ma bouche. Mon cœur s'emballe. J'ai peur. Dans ma tête, pourtant, je n'entends qu'un cri : « Trouve-le ! » C'est à ce moment que j'aperçois une lumière. Entre deux récifs éteints, une arche de coraux jaunes est toujours illuminée.

— Par là ! crié-je.

Les poissons-serpents me talonnent. J'entends leurs gueules claquer derrière moi. Redoublant d'effort, Capitaine me rejoint. Nous franchissons les derniers mètres côte à côte. Nous passons sous l'arche brillante. Du regard, je cherche de l'aide. Il y a sûrement ici quelqu'un qui est réveillé. Mais je ne vois que pinces et carapaces vides.

— Vite, il faut s'organiser !

— Cette course m'a épuisé, bâille Maître Jules. De toute façon, il n'y a plus rien qui presse.

Et il me montre l'arche d'entrée. De l'autre côté, les poissons-serpents tournent en rond. On dirait qu'ils n'osent pas pénétrer sous la voûte de coraux. La délicate barrière semble être devenue un mur infranchissable. Le lièvre pousse la bravade jusqu'à aller gratifier nos assaillants d'une affreuse grimace. Ceux-ci poursuivent leur ronde sans réagir. Je pousse un long soupir de soulagement.

— De ce côté, nous sommes en sécurité.

— Oui, peut-être, acquiesce le loup, mais ce refuge peut aussi se transformer en une énorme cage.

— Pfff ! Une cage ! Il n'y a même pas de barreaux.

— Julot, tu me décourages ! On n'a pas besoin de barreaux quand, devant la porte, on a une bande d'assoiffés de sang.

Maître Jules avale de travers. Il bafouille :

— Euh... Tu crois que... qu'ils me mangeraient ?

Le loup montre ses crocs.

— S'ils ont aussi faim que moi, oui, ils te dépèceraient sans hésitation.

Le lièvre le dévisage avec insolence.

— À moins qu'ils préfèrent les vieux poilus dans ton genre. Hein, Capi ?

— GRRR ! Je vais t'en faire, des vieux poilus !

Je coupe net à leur dispute en proposant :

— Allons explorer. Capitaine a raison, il faut trouver une autre sortie.

Le loup prend les devants, la tête haute. C'est la première fois que je le vois si fier. Je ne pensais pas qu'il était sensible aux compliments.

Même si l'endroit est lumineux, il règne une profonde tristesse tout autour de nous. Rien ne bouge. Aucune algue ne se balance, aucun poisson ne passe en coup de vent. Le sol est jonché de parcelles de vie trop usées : des coquilles vides, de la nacre ébréchée, des nageoires squelettiques. Mes pas font lever la poussière, des miettes fines de coquillage. Un frisson me parcourt le dos. Ici, malgré ces jaunes éclatants, on sent la mort. Je connais cette sensation. Je la ressens dans tous mes os, tous les jours. Sur la colline, tante Vielle est une morte qui vit debout. Il n'y avait que Tomas pour m'aider à lutter contre son pouvoir. À regarder Tantoche, on finit par baisser les bras, par se laisser engloutir par les mots qui pèsent trop lourd.

— Hé, Dagmaëlle ! lance le lièvre. As-tu vu ?

Devant nous, un petit crabe boitille. Même s'il a perdu une pince, il se déplace très vite sur le sol.

Intrigués par sa présence, nous le
suivons. Le crabe s'arrête devant
une espèce de tronc, comme un
morceau d'épave oublié depuis cent
ans. Tant bien que mal, il essaie de
grimper, glisse, puis se reprend. Le
crustacé s'acharne, portant dans
son unique pince un minuscule
poisson. Il s'arrête de nouveau sur le
plat. Est-ce là l'endroit où ce crabe
dévore ses proies ? Il agite sa pince.
Le tronc frissonne et deux grands
yeux s'ouvrent. Mes jambes se

dérobent sous moi, je tombe à genoux. Sous cet amas de poussière de coquillage, j'ai reconnu mon frère, mon Tomas !

Chapitre douze

Il est vivant! Mon Tom-Tom,
mon gentil lutin, il est vivant!
J'y ai toujours cru… Bouleversée,
j'avance vers lui, la main tendue.
Tomas ne dit rien. Il me fixe de ses
grands yeux de faon.

Tout à coup, le sol se met à
trembler. L'eau s'embrouille et un
énorme tourbillon descend au-
dessus de nos têtes. Il enveloppe
Tomas, le soulève, puis l'emporte.
Impuissante, je le vois s'immobiliser
un peu plus loin. Du fond poussié-
reux émerge alors une huître géante.
Le mollusque s'entrouvre et, jaillis-
sant du tourbillon, mon frère tombe

entre les deux parois nacrées. L'huître se referme.

Fébrile, je fouille partout à la recherche d'un bâton, d'une pierre aiguisée. Il me faut ouvrir cette huître. Mes compagnons s'empressent de m'aider, mais nos recherches s'avèrent inutiles.

La gorge nouée par le chagrin, je nage vers la prison de nacre. De rage, je frappe de mes poings l'huître géante. La paroi rugueuse déchire ma peau, je saigne. Je cogne avec mes pieds, avec mes bras. Soudain, l'huître bouge, elle oscille. Je me recule, craignant d'être écrasée. Elle roule sur le côté, roule encore, puis disparaît. Elle est tombée dans une crevasse ! Je me précipite. Tel un caillou dans un puits, l'huître coule vers le fond de l'abîme.

— TOMAAAAAS !

Surgissant des profondeurs, un poisson attrape l'huître dans sa gueule. Il remonte vers moi. Tomas est sauvé ! Mon cœur s'accélère. Le poisson est gigantesque. Monstrueux ! Son corps transparent se termine par une queue à la nageoire triple. Un aileron de requin ondule sur son dos. Ses yeux rouges éclairent l'eau sombre. Et les dents de sa gueule semblent aiguisées comme des faux. Maître Jules et Capitaine, qui ont accouru, sont stupéfiés. Cette bête, c'est l'horreur incarnée.

Le poisson dépose l'huître près de moi, au bord de l'abîme. Il est tellement effroyable que je voudrais m'enfuir, sauf qu'avec ses dents, il pourrait peut-être ouvrir la coquille. Je fais un effort et je dis :

— Merci, merci infiniment.

— Je t'en prie, ma fille, répond le poisson d'une voix mielleuse.

J'avale ma salive avec difficulté. Cet étranger me met mal à l'aise. Mais il a sauvé Tomas ! Je dois réussir à lui parler.

— Co… comment puis-je vous remercier ?

Un court instant, le rouge de ses yeux prend la teinte du sang frais.

— Je ne suis pas exigeant. Ta visite me fait plaisir, c'est tout.

— Puis-je vous demander un service ?

Son aileron frémit.

— Bien sûr, ma petite, acquiesce-t-il avec une très grande douceur.

Son regard glacial me transperce. Ma tête tourne. Je bredouille :

— Est-ce que… vous pourriez… ou… ouvrir l'huître ?

— Sans problème, c'est un jeu d'enfant, ricane le poisson.

Il s'arrête brusquement pour reprendre d'un ton caressant :

—En échange, donne-moi ta pierre.

—Ma pierre… ? Quelle pierre ?

—Celle que tu gardes au fond de ta poche…

Je glisse ma main dans la poche de ma jupe.

—Bien, très bien, susurre la bête. Donne-la-moi.

—Attends ! crie Capitaine.

S'adressant au poisson, il dit, tout aimable :

—On la nettoie et on vous la remet, d'accord ?

Contrariée, la bête donne un coup de queue. Un éclair pourpre traverse son corps transparent. Il articule, la mâchoire serrée :

—Ce n'est pas nécessaire, donnez-la-moi.

—Non, non, j'insiste. Un petit coup de brosse !

Le loup m'amène à l'écart.

—Méfie-toi, Dagmaëlle. Ne trouves-tu pas étrange qu'il connaisse l'existence de ta pierre ?

—Tous les enfants ont des cailloux dans leurs poches ! rétorque Maître Jules. Finissons-en, Dagmaëlle ! Tu donnes ta pierre à l'affreux, il ouvre l'huître, tu embrasses Tomas et on remonte !

—Tu as tort, Julot. Vois plus loin que le bout de ton nez.

—Qu'est-ce qu'il a, mon nez ? Il est très joli, ce nez. L'eau l'a un peu ratatiné, mais bon, raison de plus pour ne pas s'attarder.

Capitaine hoche la tête.

—Je ne fais pas confiance à ce maudit Grock.

—Un Grock ?

—Oui, une bête infâme, un Malin !

J'hésite. Je plonge ma main dans ma poche. Je fais rouler ma pierre dans ma paume. Et si Capitaine avait raison… Si un Grock… Ça suffit! Je ne devrais même pas y penser! Qu'est-ce qu'une pierre en échange de la vie de Tomas?

Je me retourne vers le poisson sans peau. Ses yeux de braise rougeoient.

—Préparez-vous! Je vous l'envoie.

Un léger mouvement dans le bas de ma jupe attire mon attention. Le petit crabe à la pince unique s'est suspendu à mon ourlet. D'une voix aiguë, il dit:

—Ce n'est pas bon, non, ce n'est pas bon du tout.

Agacée, je le repousse avec ma main et je lance la pierre vers le gigantesque poisson. À l'instant où ma pierre atterrit dans sa gueule, une lumière vive m'aveugle. Dans ma tête, une voix clame:

— Tu as perdu, Dagmaëlle ! Au jeu de la vie, tu n'as rien compris.

Une immense faiblesse m'envahit. Devant moi, le poisson brille comme une boule de feu. Dans un brouillard, je vois sa gueule béante, et l'huître toujours close, et je marche vers mon malheur, hypnotisée par la voix du terrible Grock, qui susurre :

— Viens, Dagmaëlle, viens. Tu as suivi le chemin. Je ne voulais que toi.

Je passe à côté de l'huître, je surplombe l'abîme. La gueule du monstre va m'anéantir. Soudain, un cri effroyable déchire mon brouillard. Je plaque mes mains sur mes oreilles. Je me tords de douleur. Tombant sur le sol, j'aperçois mon valeureux Capitaine. Le loup est agrippé au ventre du poisson géant.

Ses crocs broient la chair. Dans un hoquet, le Grock rejette ma pierre devenue luminescente. D'un seul coup, je retrouve toute ma lucidité. Capitaine lâche prise. Le précieux caillou tombe vers les profondeurs du royaume. Hurlant de colère, le poisson plonge à sa poursuite.

Je m'exclame :

— Mon vaillant Capitaine !

Le loup penche la tête avec modestie.

— J'avais faim, répond-il.

J'ai à peine le temps de le remercier que des hauts-fonds du royaume arrive un boulet de canon. Il descend à une vitesse fulgurante. Arrivé à ma hauteur, il freine, m'envoie la main et continue sa descente infernale en criant :

— Coucou, ma puuuuuuuuce !

Je reste interdite.

—Galère ! Eh bien, s'étonne Maître Jules, elle a de l'allant, cette coquille de noix !

Je me penche vers la crevasse. Dans un bouillonnement, la tortue remonte.

—Me revoilààààà, ma puce !

Elle lance un projectile vers moi tout en poursuivant sa route. Le caillou frappe l'huître géante, puis

rebondit dans mes mains. Ma pierre ! Galère a retrouvé ma pierre. Des reflets nacrés me font relever la tête. L'huître s'est ouverte. Hébété, Tomas se tient debout en son centre, les bras ballants.

Je m'élance. Il faut quitter ce royaume au plus vite. J'attrape mon frère par la main.

— Pas par là, Dagmaëlle, me conseille Capitaine. Les sbires du Grock gardent l'entrée.

— Et dede… de, de ce côté, bredouille le lièvre, il y a… lele… le Grock.

Nous nous retournons. L'horrible poisson bloque notre seule issue. Des piquants sont apparus sur son corps répugnant. Ils se dressent tels des pieux de torture. Affolée, je pars dans l'autre direction. La main de Tomas dans la mienne, j'essaie d'avancer, mais mon frère demeure indifférent.

—Nage, Tomas ! Bouge tes pieds !

Rugissant, le Grock s'abat sur nous et attrape Maître Jules. Il l'emprisonne derrière ses dents de sabre. Le Grock ricane :

—Quelle perte de temps ! Te voilà revenue au point de départ, belle Dagmaëlle. Lance-moi la pierre.

Je ne bouge pas.

—Dagmaëlle ! Je t'ai toujours aimée ! crie le pauvre lièvre. Sauve-moi !

Je respire lentement. Si j'obéis au Grock, mon frère et mes amis ont une chance de s'en sortir. Le Malin l'a dit : il ne veut que moi. Je saisis ma pierre. Étonnée, je la sens se réchauffer. Elle brille dans ma paume. La chaleur vive gagne mon bras, mon épaule, ma poitrine. Mon cœur bat à grands coups, comme le marteau d'un forgeron sur l'épée d'un prince. Je ne suis plus que lumière, j'irradie ! Alors, une boule de feu jaillit de mon corps. Elle fonce droit devant et percute le Grock. L'effroyable bête explose. Un gigantesque éclair pourpre illumine le royaume des abysses. Quand il s'éteint, la voûte de coraux a disparu. L'eau redevient limpide. Je serre Tomas contre moi.

—Et Maître Jules, demande Capitaine, où est-il ?

Comme une balle, un petit paquet plein de pattes arrive à toute allure. Je pivote et je reçois notre courageux Longues-Oreilles dans mes bras. Le toupet roussi, le lièvre gémit :

—Fiououou ! Je n'ai jamais eu aussi chaud.

Dans un soupir, il s'évanouit. Je tapote ses joues.

— Julot, chuchote Capitaine, tes moustaches ont fondu.

— Quoi ? crie Maître Jules en sursautant. Mes belles moustaches ! Dis-moi que ce n'est pas vrai, Dagmaëlle.

— N'ayez crainte, vous n'avez pas changé d'un poil. Hâtons-nous, les amis ! Nous n'avons plus rien à faire ici.

Je prends délicatement la main de Tom-Tom dans la mienne. Mon petit frère ne me regarde pas. Il est sûrement encore sous le choc.

Nous nageons avec vigueur. Dans un ballet féerique, des milliers de poissons multicolores envahissent les eaux calmes. Tout à coup, Capitaine m'appelle. Je tourne la tête vers lui. Le loup est empêtré dans un filet.

—Attendez, je vais vous aider.

Mais le filet se déploie. Il s'enroule autour de moi. Il emprisonne Tomas et mes compagnons. Je me débats, je tire sur les mailles de corde. Je veux sortir! Venant des profondeurs du royaume, un rugissement retentit:

—JE VAIS ME VENGER, DAGMAËLLE!

Brusquement, le filet se resserre et nous entraîne vers la surface.

Chapitre treize

—Crédiou ! Voilà une bonne pêche ! lance une voix rauque au moment où ma tête émerge de l'eau.

Sans ménagement, on me hisse à bord d'une barque. Mes fesses heurtent le bois dur. Je crie :

—Sortez-moi de là !

—Ho ! Doux, doux, fillotte… Le filet est tout emmêlé.

Pris dans les mailles, Tom-Tom est impassible, le regard vide.

—Tomas ! Je suis là, Tomas. N'aie pas peur !

J'essaie de l'atteindre. Je pousse, je tire, je m'empêtre encore plus.

— Barque à chou ! C'est une tigresse que j'ai repêchée.

— Wouououou ! hurle le loup, la patte coincée.

— Nom de nom d'un crédiou ! Ça va-ti se calmer, oui ou noche ?

À travers le filet, je dévisage celle qui s'exprime si drôlement.

— Bon, tu te calmailles. Une bonne chose de faite.

Brune comme un marron mûr, la petite dame bronzée tend ses bras musclés. D'un mouvement vif, elle déchire le filet. J'entends Maître Jules murmurer :

— Cette bonne femme tient du grizzli. Vaut mieux la mettre de son côté.

Nous nous retrouvons tous à l'air libre. Je prends Tomas dans mes bras, bien décidée à le protéger de tous les dangers.

—Crédiou ! Est-ce que je ressemble à une sorcinette, pour que vous ayez si peur de mio ?

Nous ne répondons pas. Sourire en coin, la femme au bandeau noir ajoute :

—Je suis pêcheuse de perles, fichtrou ! Malhor dé malhor, ces temps-ci, les huîtres sont toutes petiotes. Pas vrai, Dagmaëlle ?

—Euh… on se connaît ?

La pêcheuse ignore ma question. Elle enchaîne :

—J'ai de quoi boire et manger. Ne soyez pas gênaillés ! Allons, Capitaine, Maître Jules, servez-vous !

Le lièvre ne se le fait pas dire deux fois. Il saute sur une botte de carottes. Capitaine attrape un os, tout en gardant un œil sur moi. La pêcheuse m'offre une galette.

—Merci, madame.

— Appelle-moi Pétra, c'est mon nobi.

Je sépare la galette pour en donner une moitié à Tom-Tom. Il mange aussitôt sans souffler mot. Pétra plonge son regard dans le mien. J'y vois des eaux bleues magnifiques.

— Sois rassurée, Dagmaëlle. Je te ramoune chez toi.

Je fixe l'horizon. Aucune terre en vue. On se croirait au beau milieu d'un océan.

— As-tu toujours ta pierre ?

Vite, je me recule, la main sur ma poche. Capitaine se dresse, le poil hérissé. Pétra sourit encore.

— Crédiou, c'est parfait ! Tu es sa meilleure gardienne.

Hésitante, je demande :

— Vous… vous ne voulez pas me la prendre ?

— Pourquoi dou ? Tu en as bien plus besoin que mio.

Au souvenir du combat que je viens de mener, mon cœur se serre.

— Sois en paix, fillotte, dit Pétra en posant une main douce sur ma joue. Tu as tout donné, tout tenté. Chez mio, dans les lointaines mers del Sour, on t'acclamerait. Fichtrou, quel courage ! Ton frérot a de quoi être fier.

D'un bond, la pêcheuse se relève et dénoue un cordage.

— Hissons la voile, compagnons ! Les Hautes-Collines nous attendent.

La voile claque au vent. La barque file sous la poussée. Mon frérot… Une fois de plus, j'observe mon lutin sauvé des eaux. Assis près de moi, il ne cherche pas à me toucher ni à me parler. Pourtant, je suis allée le chercher ! Au fond des fonds ! Je dois me rendre à l'évidence. J'ai retrouvé Tom-Tom, mais il n'est plus le même, comme si l'eau des abysses avait lessivé ses pensées. Les sirènes l'ont-elles ensorcelé… à jamais ? J'ai mal. On dirait que mon petit frère m'a oubliée. Comment pourrait-il en être autrement ! Tomas n'a toujours pas prononcé mon nom.

Je reporte mon regard vers l'horizon. Au loin, un orage gronde. Les vagues ondulent, écumantes. Je passe mon bras autour des épaules de Tomas, je le presse contre moi. L'important, c'est que nous soyons réunis. Je ramène mon frère au pays des Hautes-Collines et, là-bas, même les silences de tante Vielle n'arriveront pas à m'assombrir. Tom-Tom et moi avons triomphé de tant d'épreuves. Ensemble, nous sommes les plus forts.

Je prends ma pierre dans ma main. Je la frotte avec mon pouce. Qui croirait en ses pouvoirs magiques ? Elle est grise et lisse comme le museau de Maître Jules. Si ma pierre m'a sauvée du Grock, peut-être m'aidera-t-elle à sauver Tom-Tom...

La brise fraîche sèche mes cheveux. Pétra m'a dit de ne plus m'inquiéter, sauf que, n'est-ce pas par le vent que les chiribiris arrivent ? N'est-ce pas leur hymne qui bourdonne à mes oreilles ? « Sauve qui peut, p'tits morveux. V'là les... »

— Du jus de frambisse ? m'offre Pétra.

J'accepte le gobelet que je partage avec mon petit frère. Derrière moi, Maître Jules, rassasié, se vante :

— Oui, Capitaine, grâce à moi ! Tu sais, dans sa gueule, j'avais une petite envie. Alors, j'ai empoisonné ce vilain Grock ! Il a explosé.

— Julot, voyons donc, tu n'as pas pu te retenir parce que tu étais mort de trouille.

— Non, non, je tiens ça de mon père. Est-ce que je t'en ai parlé, déjà ?

Préoccupée, je demande à la pêcheuse :

— Vous, madame Pétra, savez-vous pourquoi le Grock m'en veut autant ?

Pétra plisse son visage en une drôle de grimace. Elle se gratte longuement à l'encolure de son maillot. Puis elle s'exclame :

— Concombre de mer ! J'espoure que tu n'auras jamais à le savoir… ma puce !

Je sursaute.

— Ma… ma puce ?

Pétra sourit. Je fronce les sourcils. Il n'y a que la tortue Galère qui… Concombre de mer !

—Est-il possible que vous soyez…

—Crédiou! Tu as toujours été forte au jeu des devinettes, brave Dagmaëlle.

Et la pêcheuse de perles me fait un clin d'œil.

FIN

Remerciements

L'auteure tient à remercier
madame Natalia Poliakova,
sa charmante belle-sœur,
pour la traduction de
la dédicace en russe.

Également de la même auteure

Le Rossignol de Valentin, Les publications Graficor, coll. Tous azimuts, 1er cycle, livret 34, 2001.

Panique en musique, Les publications Graficor, coll. Tous azimuts, 1er cycle, livret 36, 2001.

Comptines pour le jour et la nuit, Les publications Graficor, coll. Tous azimuts, 1er cycle, livret 38, 2001.

Le Furet, Les publications Graficor, coll. Tous azimuts, 1er cycle, livret 40, 2001.

Dormira ? Dormira pas ?, Les publications Graficor, coll. Tous azimuts, 1er cycle, livret 42, 2001.

Écris-moi vite !, Les publications Graficor, coll. Tous azimuts, 1er cycle, livret 44, 2001.

As-tu de l'imagination?, Les publications Graficor, coll. Tous azimuts, 1er cycle, livret 46, 2001.

Pile ou face, Les publications Graficor, coll. Tous azimuts, 1er cycle, livret 48, 2001.

Pour en savoir plus sur
l'auteure et ses livres :
www.luciebergeron.biz

Achevé d'imprimer au Canada
en octobre deux mille six
sur les presses de l'imprimerie Lebonfon
Val-d'Or (Québec)